KB123548

시인 정혜윤

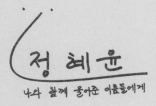

정 혜 윤

나와 함께 울어준 이름들에게

시인 이효진

계절의 끝 겨울
나무를 심어야겠다.

ん in
이효진

시인 전아성

j효성

오늘의 감정
내일의 표정

시인 양승호

Life is beautiful.

양 승 호

우리의 계절은 이렇게 지나갑니다

우리의 계절은 이렇게 지나갑니다

정혜윤

가끔 그 누구의 누구도 아니고 싶을 때가 있습니다

스스로 얼마나 보잘것없는지 떠올리는 건
여전히 고통스럽습니다

눈을 감고 벽을 짚으며 천천히 걷습니다
바람이 낙엽을 스치는 소리도
코끝을 찌르는 추위도
모든 것이 선명합니다

원망스럽게도 삶을 사랑하는 내가 가엾어 웁니다

instagram   @henny_mcphee
email   eva1224@naver.com

『 파랑에게 』

이효진

말 없는 하늘의 너그러운 마음과
몸 없는 바람의 자유로운 태동에
내 심장은 매번 뜀박질을 해댑니다

어제보다 오늘이 아니면 내일이라도
당신의 심장에 언어의 운율이 흐르고
끓어오르는 흥분에 도달하기까지

여전히 나는 떨리는 가슴으로
조각난 글자를 따고 엮어서
당신의 세상에 띄울 겁니다

instagram   @ego_jin2
email   fg619596262@gmail.com
kakao brunch   이효진

『 비로소 봄, 마주해 꽃 』

전아성

나에게 질문합니다

슬픔은 어디서 시작될까
사랑은 무슨 색일까
외로움은 어떤 모양일까

수많은 감정은
매번 다른 모습으로 찾아옵니다

나는 답합니다
어떤 옷을 입히냐에 따라
달라질 테니
마음껏 꺼내 찾아보라고.

instagram   @24h_emotion
email   yasung1995@gmail.com

『 감정을 찾아서 』

양승호

벌써 시간이 흘러 여기까지 왔네요.
도망가고 도망가다 저는
결국 여기까지 왔습니다.
제가 죽어도 이 시들은 여기 남아있겠죠
삶은 아름답네요.

사랑하는 가족들
사랑하는 친구들,
지금까지 저를 살아있게 해주신
모든 분에게 감사드립니다.

instagram   @qortor_alclsssha / @qortor_gmrtor
email   xyxsxh666@naver.com

『 불완전 』

정혜윤

『파랑에게 』

살아내는 꽃에게 보내는 찬사

더러운 물에서 생명을 느껴본 적 있는가
물이 뿌예질 때까지 내쉬는 더운 숨
노골적인 생존의 의지

비록 유약하나
처절한 숨을 쉬는 나도
살아내고 있다

엇박의 엇박은 정박
호흡이 제 박자를 찾는 날
손에 쥘 행복을 위하여.

가쁜 숨을 내쉬며, 정혜윤

간밤의 단상

비 오는 날엔 말소리가 유독 울린다
울음이 나는 날
유난스레 마음이 시끄러운 것도
그 정도로 생각해두면 될까

비가 온다//울음이 난다
의 행간을 읽어내는 능력은
마음이 살갑되 예민한 사람들의 것

쥐다//흘리다
손금은 전부 흘러넘친 욕심이라는
이름 모를 학계의 정설
손금이 실이면 손 두 폭짜리 베틀 아래
무명천이 한가득이다

선생님 제 손바닥은
욕심이 스쳐 잔금이 많습니다 그런데
욕심과 욕망은 다르던가요,
실에도 머리와 꼬리가 있는지요
아참 간밤에는 제 한숨이 휘파람인가 하여
뱀이 떼로 다녀갔습니다

사랑과 동경의 차이를 서술하시오
미련과 후회의 차이를 말해보시오
손안의 실타래를 다시 감아볼까요
아니 또다시 풀어볼까요

또 나만 여기 동그라니 남아
손금을 하나둘셋넷다시하나
못다 센 새끼줄이 손바닥에 똬리를 튼다

오후 두 시와 늙은 개

하루 중
해가 게으르게 늘어져 있는 시간에는
토돗토돗 걷는 개의 발자국도 부옇게 오른다

햇살 좇아 허리가 고꾸라진 고무나무도
반대로 돌려줘야지

햇빛과 햇살과 햇볕이 다 다르다는 걸
늙은 개 너는 언제쯤 알까

냉이 나물

나는
저녁 먹는 시간만큼은 조용했으면 하고
할머니는
저녁 먹는 시간만큼은 소란스러웠으면 하셨습니다

엊저녁엔
예천에 이층집이 두 채였는데
하나는 군수 집이고
또 하나는 느그 할아버지 집이었다는 얘기를
세 번쯤 들었습니다

된장에 무친 냉이 나물을 씹다가
그 얘기도 함께 삼켰습니다

대추나무 랩소디

버려진 놀이터 옆 너른 들 은행나무 사이에
경중한 대추나무가 멋쩍게 섞여 있었다

동네 제일 쪼끄만 고양이가 지뢰 찾기 하듯
은행을 피해 구르며
늘어지게 하품하고 햇볕 쬐던

그저께 해가 안 든다고
무릎께가 댕강 베여버린

이제 그 고양이 쉬어갈 그늘이 없다
애꿎은 내 손에 뺨을 부비길래
가만히 참치 뚜껑만 따주었다
이제 보니 이 녀석 눈에 숲이 있다
알알이 영글어 곧 툭 하고 떨어질 것 같다

깨어도 꿈결

꿈에선 항상 뭐가 뜻대로 안 된다
얼마 전 꿈에서는 글이 통 읽히지 않아
열 문제를 푸는데 두 시간 넘어 걸렸다
멍청하게 읽은 줄을 또 읽고 또 읽고 했다

또 그 전 꿈에서는
바지 안팎 구별을 못 했다
바지를 바로 뒤집어 입는데
손에 잡히지 않아 수업에 한참을 늦었다

내가 사는 오늘은 항상 꿈같다
저 아래로 곤두박질쳐도 불평할 것이 없다

나를 겁먹게 하는 것들

예쁘고 아름다운 것들은 명이 짧다
적당히 우러난 차를 마시며
엄마는 할아버지를 떠올렸다
잘 몰라서
펄펄 끓는 물에 우린 녹차를 드렸었는데
한 번도 "아가 뜨겁다" 소리를 안 하셨단다

나이 든 엄마의 옆에는
나이 든 개가 곤히 잔다
요즘은 숨소리가 안 들리면 덜컥 겁이 나
코에 손부터 대어 본다

덕분에 엄살이 늘었다
예쁘고 아름다운 것들은
늘 나를 겁먹게 한다
저절로 얻어지는 것도 잃어지는 것도 없으니
만물을 정성으로 대하라던
꿈속 외침이 귓바퀴에 걸린다

어느 땐가
온 힘을 다하여 얻은 것들을 잃어야 한다면

그러면 나는
온몸이 왈칵 젖고 싶은 밤을 준비해야지

보편적인 마음

손을 타 칠이 벗겨진 계단 손잡이와
늘 같은 곳을 밟혀
진작 떨어져 나간 계단 마감재
뭐의 어디를 만지면
뭐가 이뤄진다는 흔한 전설과
일단 손부터 뻗어보는 보편적인 마음들

등 뒤의 바다

네 등 뒤에는 엄마 아빠가 있으니
걱정하지 마라

그 말이 떠올라 또 겨드랑이를 적신다

아이참
그러면 나는 못 이기는 척
또 그 넓은 바다로 떨어지고 싶다

지난주에 새로 낸 비누는
벌써 이만치나 닳았는데
왜 마음은 무뎌지지도 않을까 하며
때 낀 손톱으로
왼쪽 갈비 밑을 긁고 또 긁어보았다

내 마음은 이래서 살찔 틈이 없다
가난한 나의 마음에는 백 원이 있다가도 없다

첫 단풍

해가 많이 드는 자리는 단풍이 빨리 든다
남들보다 금방 빨갛게 달아올랐다가
가장 먼저 져버리는 조급함

처음으로 돌아갈 수 있다면
그늘진 구석에서 살 거다

지금도 나는
언제 질지 몰라 가슴이 아찔하다

한밤의 널뛰기

외로운 새벽에
창밖으로 널을 뛰는 친구들

불안

      괴로움

      괴로움

불안

차례로 찾아오는 이 친구들의 관심에
몸 둘 바를 몰라
여름밤에 모기 피하듯
대충 이불만 뒤집어쓰고 잠을 청한다

지구는 멋대로 돈다

눈을 감은 기억이 없는데 눈이 떠졌다
날이 밝았다
새들이 찝찝거리고 밥솥이 김을 뿜었다
우리가 아침이라고 부르는 시간이었다

이 시간이 아침이라는 건 누가 정했는가
누군가에게는 지금이 밤일지도 모른다

모두의 시간이 같을 수 없기 때문에 우리는
지구가 돈다고
누군가의 뒤처진 시간에 면죄부를 준다

나의 아침에도
긴 그림자가 엎드려 팔을 뻗는다

지구는 돈다고 중얼거리며 땅을 보고 걷는다

갓 지은 걱정

그끄제 새로 지어둔 걱정과
시어 꼬부라진 행복

퉁퉁 불어버린 빨래 더미 앞에 앉아 우는
오늘 저녁의 우리

얼굴 앞에서

이번 제사 때도 그랬다
나는 할아버지 사진 앞에서
나의 행복을 빌었다

마지막 묵념을 하며
또 한 번 처절하게 나의 행복을 빌었다

바라는 게 너무 많아 죄송하다고 덧붙였으나
거기에 소원 하나를 슬쩍 더 얹었다

저 인자한 표정 아래
어떤 말들을 뭉쳐두셨을까

어쩌면 내년에는
할아버지가 괴로워서
진짜로 안 오실지도 모른다고 생각했다

통곡의 골목

한숨이 부딪쳐 깡깡거리는 골목에서는
울음이 엉키고 슬픔이 나뒹굴고
해묵은 근심이 싹을 틔운다

대문에 애써 걸어둔 웃음에는
행인들의 침이 흥건하고
부자연스럽게 일그러진 표정 위로
시커먼 빗물이 쌓여

비뚤게 걸린 웃음을 떼고
질척하게 칠해보는 대문

이제야 진정한 이 골목의 주민
이 땅 위의 슬픈 이주민
쓴웃음과 함께 흘려보내는 낡은 눈물

곳간에 넣어둔 행복

행복이 쓸모를 다하고 버려질 운명이라면
주어진 행복을 부지런히 써야 하는가
아껴둬야 하는가

아직 무언가 남았음에 안도하며
거먼 뒤주 깊숙이 손을 뻗어본다

겨우 두 줌 잡히는 틈에
그마저도 쌀벌레 네 마리는 골라내었다

억지

사는 게 이렇게 다
동그라미에 몸을 욱여넣은 네모들처럼

불안의 능선을 넘으며

사방에 널린 불안
둥근 우울이 발등을 건드리는 밤
그중 하나를 발가락 두 개로 집어
꽉 찬 쓰레기통 위에 얹는다

넘치게 울어도 취할 수 없는 병에 걸린
근면하고 겁 많은 짐승이여

다정한 균열

꿈에서 크리스털 컵을 깼다
파편이 전부 네모반듯해서
밟아도 상처가 나지 않았다
다치지 않는 세상이라니
멍청한 꿈을 비웃었다

질척한 계단을 오르며

　　　　　살고 싶다

　　고른 땅 위에서

균열마저

사실은 그런 세상을 꿈꾸고 있었다
누구에게 가 닿아도 상처 내지 않고
발치에 얌전히 내려앉을 수 있다면

서로가 서로에게
파편이 되지 않을 수 있다면 얼마나 좋을까

텅 빈 말들의 도주

단숨에 내뱉은 엉성한 위로는
마음에 닿지 못하고 길가에 앉는다

내일 새벽
마음을 긁으며 우는 빗자루가 지나기 전까지
그 땅 위에 머무는 모든 것을
아프게 하겠지

흙 위에서 도돌이표를 달고 걷는
텅 빈 말들의 모임
아침 해가 내리쬐면 숨어버릴 비겁한 단어들

곱씹는 것

행복한 것과 괴롭지 않은 것은 아주 다르다

나는 썩 행복하진 않지만
영 괴롭지도 않게 산다

뱉지 못해 씹고 삼키지 못해 머금는
아 먹을 만한 인생이여

아무도 울지 않은 밤

적당히 열린 문틈으로 쏟아지는 졸음
눈이 반쯤 감기면
먼지 색깔을 한 초조함이 기어들어 온다

불안 앞에 공연히 외쳐보는
애처로운 사랑의 맹세

밤의 한 가운데 잠이 깼으나
누구도 벌할 생각이 없다
오늘도 내가 불러온 모든 것을 달래며 아침을 맞는다

바다 앞에서

온종일 바닷가에 앉아 지내던 때가 있었다

눈물은 잘 팔렸다
한 솥 가득 미역국을 끓이던 사람들

식탁 위로 번지는 웃음에 맞추어
바다는 더욱 매섭게 춤을 추었다

끝까지 외로워야 했다
나의 눈물을 닦아주고 간 이들은
하나같이 바다 앞에 주저앉았다

우리는 파도와 함께 한참을 울었다

아빠

모두가 잠든 차가운 밤
울음이 잦아든 나의 방 앞에
씹지도 않고 삼켜진 말들이
또 한가득 쌓였다

아빠는 옛날에도 꼭
매 맞아 부르튼 엉덩이에 약을 발라주었다

우리는 서로의 시큰한 콧잔등을 안다
뒤늦게 뱉어둔 말에도 온기가 있어
나는 절대 아빠를 미워할 수 없다

초라한 모임

우리는 매일 밤
가장 초라한 모습으로 만난다

잔뜩 벌거벗겨진 마음으로
가진 것 중 제일 볼품없는 것을 내보이는

서로가 그저 안타깝고 애잔한 두 여자

삼켜지듯 잠들고 뱉어지듯 깨며
가슴팍에 사방으로 난 구멍을
가만가만 메꾸는 우리의 밤

비탈길의 아낙

시간을 어슷썰면 하루가 조금 길어질까
경사진 시간을 걷다 보면
나는 매번 뛰고 있었다

날 위로 가만히 흘러나오는 속내는
벌써 흐느끼고
비스듬한 하루 위로
눅눅한 울음이 엉겨 붙는걸

대충 묶어둔 오버로크질에 발이 묶여버린
비탈길의 아낙

15:43

욕조에 몸을 담그면
뽀록뽀록 소리를 내며 터지는 슬픔

물 밑으로 주욱 늘어진 샤워 호스가
잔뜩 찌그러진 동그라미를 그린다

이 나른한 계절
더운 숨에 얼굴을 파묻고 깜박 잠들고 싶다

가이아 발등에 세 들어 살기

노을이 나무 위에 턱을 괴는 시간
낮게 깔린 햇살 위로 아이들이 줄을 넘는다

취한 발자국이 너저분하게 찍힌 새벽에도
혼자 깨어있는
열두 칸 가이아 발등에 세 들어 살기

이 땅은 아무것도 바라지 않고
온몸을 다 내주었다

형상기억

웃다가 한순간 몸이 쪼그라든다

웅크리고 웅크리고 웅크리고
돌아눕는다

우울한 나의 자리로
되돌아온다

여기가 내 자리
지독한 짠맛의 자리

오늘은 문을 닫고 밤을 새워 울겠다

절룩이는 것

사랑 소망 우정
한쪽 다리가 없어 위태롭게 절룩거리는 것들

기쁨에게

누울 자리를 보고 다리를 뻗어야지

매번 말하지만
내 방은 네가 살 만한 곳이 못 된다

지난주에도
아픔을 베어 먹은 우울의 얼굴이
끈질기게 달려들어 정강이를 물어뜯었다

이 방에는 여전히 바다 내음이 가득하다

너의 이름

내일 아침엔 비가 올까?
아직 씻어야 할 것들이 남았는데

글쎄

로레토 성지에 가본 적 있어?
순례자들이 무릎으로 기어간 흔적 말야
깊은 두 줄이 꼭 내 얼굴 같아
맨날 두 줄로 울잖아

더 자

깊게 다친 상처에선 땀이 나지 않는대
눈물도 이제 새 길로 흐를까
항상 생각해
눈물은 어디서 모일까
눈물의 끝에는 뭐가 있지?

내가 있지

나도 아직 네 이름을 부르며 잠들어.

후회

어제는 말이 너무 많았다고 생각하며
이불을 정리한다
타고난 자기혐오와 만들어진 습관

누구는 이렇고 또 누구는 저래
하다 보면 얼굴에 침이 그득그득 쌓이고

두 손 갖다 대어 박박 문지르면
없어지는 입

해말간 손님

잊을 만하면 찾아오는 이 죽일 놈의 우울

이따위 것도 손님이라고
대문 앞을 스치는 발걸음 소리에
또 대접할 채비를 한다

상을 내어온다 먹는 입만 뚫어져라 본다
언제 갈까 언제 가려나
대체 언제 왜 하필 지금

눈치 없는 불청객은
배를 두드리며 드러눕는다
한참을 바라보다가 나란히 눕는다

너무 익숙한 그림이었다
팔자를 그리며 나가는 그 사람 등에 대고
다음에 또 오라는 얘길 했다

저 해말간 손님은 아마 내일 또 오지 싶다

하찮은 연명

거슬리는 날파리
내 기필코 저놈 씨를 말린다

죽일까?
나 아니어도 누군가 죽이겠지
지금 아니어도 언젠가 죽겠지

덕분에 살아갈 오늘을 얻어요
언젠가 내쳐질 삶이어도 오늘을 살고 싶어요

시간의 언덕

시간에 대하여
아카시아는 수일 동안 토론했다

시간에도 굽이굽이 언덕이 있음을
한때 노여운 초침을 짊어졌던 이들은
알고 있었다

시간의 굴곡을 깨우친 자들은
일생을 봄 안에 산다

개망초 당신

이제부터 내 모든 사랑은
너의 귓바퀴에 머물고

우리의 근심은 머리카락 끝에서
온몸으로 춤출 것이다

바람은 이제 꼭 너와 나 둘 사이에만 분다
개망초를 닮은 황홀한 이름이여
읽기만 하여도 웃음이 샌다

짭짤한 우울

안아달라 매달리는 우울을 둘러업고
강으로 갈까 바다로 갈까 고민하다가

강으로 가자
니들 짠맛인 거 다 안다
니들은 짠맛이니까
니들 있는 곳이 다 바다겠다

계속 흘러라
흐르고 흘러서 저 끝에서 만나자

파랑에게

작년의 나를 기억하냐고 물었으나
대답은 돌아오지 않았다

물 위에 간신히 떠 있던 나를
힘겹게 밀어 뭍으로 보내주었던 그 날
너는 등에 완완한 생채기를 남겼다

근심이 따가운 울음을 우는 백사장에서
발바닥에 너를 조금 묻히고 돌아오는 길

너는 여전히 거기에 있고
나는 여전히 여기에 있지만

덕분에 나는 이제
어깨를 들썩여 울면서도
앞으로 나아갈 줄을 안다

이효진

『 비로소 봄, 마주해 꽃 』

가만히 깊이 들여다보니
나무 한 그루가 심어져 있는 거예요
아무도 모르는 곳에서
꿈이 한 뼘 자라나고 있던 거예요
알알이 맺힌 열매같이 작고 소중한 것이에요

2021. 겨울 이효진

이미 꽃

시대의 어둠 속에서
피어난 꽃은 너무나 아름다울 거야

척박한 인생을 산다는 것
고약한 인생을 견디는 것

고된 오늘 하루도 잘 버텨 준
그대와 나는 이미 찬란한 꽃인걸.

잔상

평생 잊히질 않을 것이 있지
따스했던 공기
익숙했던 향기
찰나의 순간 그 순간마저도

이제는 돌이킬 수 없고
그때로 돌아갈 수 없겠지만

시간이 흐른 뒤
선명했던 풍경 설령 잿빛으로
변할지라도 결코 잊지 못할
것이 가슴속에 남아있지.

바람 같은 인생

애야, 울고 싶을 땐
크게 소리 내 울어도 돼

숨죽이고 있던
지난 눈물과 슬픔
이제는 아프지 말고 살아가

너를 삼켰던 나락에서
홀로 얼마나 무서웠나

애야, 흔들리지 않고
피어나는 것은 없단다
너 역시 마찬가지다

거센 비바람이 정신없이
흔들어도 그것 또한 잠시일 뿐

구름이 걷히고 나면
비로소
너라는 고귀한 꽃이 핀다

바람 같은 인생은
더 이상 널 붙잡지 못해.

그런 순간이 있다

몇 시간도 채 안 남은 오늘
지나간 것에 대해 생각해 본다
그러고는 깨닫는다

모든 날에는 이유가 있고
모든 날에는 때가 있다는 것을

때때로 흔들리는 순간마저
그 나름의 존재를 알게 될 때
비로소 보이는 것들이 있다

산다는 것은 그 자체로 의미가 있음을
다시금 느끼는 순간이 있다.

눈 오는 날 눈을 맞는다

거칠어진 마음이
부드럽지 못한 성질이 미워서
그날 그 밤에 눈 속을 걸었지

내 두 뺨에 눈꽃이 스며들 때
비로소 내가 살아있음을 알게 될 때
그동안 용인할 수 없던 나를 마주한 거야

축축해진 소매 끝자락에 맘 한편이
시큰거리는 이유는 빈껍데기 같은
나라는 존재가 가여워 보여서

고요한 정적은 내리는 눈을 피할 수 없어
그날 밤 눈 소리에 파묻힌 채
한참을 맞고 서 있었지.

아무렇지 않은 것

나뭇결에 흔들리는 그림자만 보아도
코끝이 시큰거리던 때가 있었습니다

컵 안에 일렁이는 물결만 보아도
가슴이 허전했던 순간이 있었습니다

하늘에 떠다니는 별들만 보아도
눈물이 차올랐던 밤들이 있었습니다

이제는 아무렇지도 않은 것에 대해
아무렇지 않게 지내야 하는
나날들이 계속되고 있습니다.

그해 가을 춘천에서

그날 춘천으로 떠난 길

길 따라 주황빛 감나무 집
반가이 인사하면
낯선 이 마음 스르르 녹는다

가을 밤하늘 아래 소양강 댐
달과 물이
더욱 반짝이는 윤슬이어라

험준한 능선을 타고 바라본 세상
만물의 탄생은
이토록 아름답고 신비스럽다

바람이 머무는 그 자리
하늘이 마주하는 그곳
그해 가을 춘천.

나의 말에는 또 다른 내가 있지

툭툭 던진 말
한마디 그 한마디가

공이 되어 상대의
가슴을 때릴 수 있다

도리어 정성스레
준비한 말은 퇴색된 채

허공에서 뿔뿔이
흩어질 수 있다

내 말에 내 말이 걸려들어
나 자신을 죽일 수 있다

내 말 한마디로 누군가를
살릴 수도 죽일 수도 있다

내가 꺼낸 말 한마디로
악인이 될 수도 은인이 될 수도 있다

내 말에는 미처 알지 못하는
또 다른 내가 존재한다.

초저녁 그림자

석양이 머무는 그 자리
하나의 그림자 있습니다

지나간 과거가 후회로 다가와서
붉어진 눈시울로 고개를 툭 떨굽니다

떳떳하지 못한 자신의 모습과
자랑스럽지 못한 초라한 현실에
그대로 멈추어 선 상태입니다

그림자 뒤로 땅거미 드리우면
가슴 깊숙이 맺힌 멍울을
하나둘 꺼내 봅니다.

언니

달빛 아래 한 여인
두 손 모아 기도하고 있다

그것은
간절한 염원이어라
그것은
진실된 소망이어라

꽃다운 청춘을 하늘에 다 받쳐
어여쁜 두 손 거칠게 변해가고
당신이 여태까지 포기한 것이
얼마나 많았을지 생각해 보면

철없는 동생은 조용히 눈시울만
붉힌다 언니의 세상은 눈물겹다.

인생 소풍

슬픈 날 기쁜 날
매 순간 다르게 흘러가지만

우리에게 소풍처럼 남아있는
아름다운 시절 속에 기억 한 조각

그것이 번뇌와 번민에 휩싸인
우리를 계속해서 살게 하는 이유다.

봄 볕

얼음장같이 차가웠던 손발이
제법 따사로운 햇살에 포근해진다

긴 추위를 버텨내니 이렇게 또 봄이 온다
코끝에 풋풋한 봄 향기 스며든다

꽁꽁 얼어붙은 강과 바다와 산과 들에도
겨우내 얼던 큰 몸이 봄볕에 사르르 녹는다

움츠려 있던 새싹이 곧 싹을 틔우면
연이어 꽃망울도 봉긋 솟아오를 게다

너 나 할 것 없이 제 자리를 찾아
봄 마중할 채비를 하고 있다

어느 봄볕 따뜻한 날
내딛는 발걸음이 살랑거린다.

조카에게

세상에서 제일 고귀한
나의 어린아이야

앞으로 네가 살아갈 세상은
가난하게 사는 사람이 억울하게
사는 사람이 없었으면 좋겠어

별처럼 반짝이는
순한 두 눈동자에 순수하고
착한 세상만 있었으면 좋겠다

이대로 철없이 머물기를
어른의 세상을 벗어나서
이대로 영원히 아이처럼

작고 소중한 어린 세상을
언제나 내가 지켜 줄게.

아침에 떠있는 달

달이 조금 길어졌다
해가 좀 더 짧아졌다

제법 차가워진 아침 공기에
입김이 연기처럼 피어난다

분주한 이들이 시선 머문 곳
서두는 발걸음 잠시 멈춰 서면

저 높이 하얗게 떠 있는 달
순간 가슴이 벅차오른다

파란 바람이 뇌리를 스친다
기분 좋은 시작이다.

행복

하루를 시작할 수 있는 기쁨
누군가를 좋아할 수 있는 마음

아름다운 세상을 볼 수 있는 눈동자
자유롭게 어디든 갈 수 있는 발걸음

꽃, 나무, 하늘, 바람, 별
이 모든 것을 누릴 수 있다는 것

모든 순간이 더할 나위 없이 좋다
그러므로 행복하다.

이별

꽃이 떨어진 자리
다시 꽃이 필 무렵
한 철 지난 마음이
그곳에 오래 머물러
그리움 속에 싹이 틀 테죠.

시골

빨갛게 익어가는 우리 고장에는
탐스러운 사과나무 제법 곱디곱게
자라서 우리 할아비 할미 활짝
두 얼굴에 미소 짓게 만들었지요

가을 녘 담장 너머로 뻗은
감나무는 우리네 살림살이
주렁주렁 매달린 감을 울 할아비
장대로 툭 건드리면 울 할미
아이 좋아라 분주히 움직이지요

타닥타닥 나무 땔감 아궁이에
불 지피는 소리 울 할아비 옆에
앉아 불구경하면 뜨거운
군고구마 입안에 감돌고
긴긴 겨울밤 참으로 따뜻했지요

따뜻한 봄날엔 우리 할미 따라
산기슭으로 나물 캐러 가면
어느새 등줄기에 땀이 줄줄이
산에는 연분홍빛 곱게 차려입은

철쭉이 봄소식을 듣고 한창입니다

시냇물이 흐르는 개울가에
두 발 담그면 올챙이들
화들짝 놀라서 도망가고
물장구치는 철없는 아이 모습에
여름 더위 뒷걸음질 칩니다

시골길 따라 뛰놀던 내 어린 시절
무수히 떠 있던 밤하늘에 별들
그 아래 옹기종기 모여앉아 있는
꿈과 추억과 사랑이 있었습니다.

아빠와 아들

초등학교 앞을
지나고 있었다

남자아이가 낑낑대며
제 몸만 한 자전거를 끌고서는

자전거 시합을 하자며
제 아빠를 조르고 있다

아빠는 그런 아이가 귀여운지
연신 아이의 두 눈을
바라보며 웃는다

자전거 시합을 한다
아들이 앞지른다
아빠가 금세 따라잡는다

한참을 앞서거니
뒤서거니 한다

바람에 날리는 낙엽이랑
함께 달린다

낙엽이 무르익는 이 계절
사랑이다.

한(漢) 가람

질기고 질긴 역사의 강
명랑한 물줄기 중앙을 관통하는 곳

동해로 서해로 품어주고 안아주는
우리네 어머니 품 같아라

세월의 흔적 고스란히 담긴 무구한
서민들 삶의 기록이 여기 남아있다

부푼 꿈을 꾸고 새로운 희망
품고 띄운 조각배 여기 있다

새로운 시작을 새로운 기적을 이루려는 자여

인생의 갈림길 불안한 마음을 잠재우고
강인한 생명력 숨 쉬는 이곳 한강(漢江)
가슴에 품고서 다시 일어나라.

달리는 버스 안에서

그날 덜컹거리며
달리는 버스 안에서

쿵쾅 요동치는
제 심장 소리 혹
당신께 들릴까 봐

얼마나 맘 졸였던지
애꿎은 당신 어깨만 툭툭

창문 밖에는
하늘과 구름이 떠다니고
우리의 시간은 잠시 멈췄습니다.

우주

너의 세계가 궁금해
어떤 별을 좋아하는지
어떤 별이 빛나고 있는지
너의 은하 세계가 궁금해

깜깜한 밤은 우리가
가장 빛날 수 있는 유일한 시간

우리 은하수를 여행해 볼까
별들의 강을 가로질러
우리의 별자리를 찾아볼까
큰 곰 자리 카시오페이아자리

별빛이 흐르는 밤하늘을
함께 걸으며 밤새 너라는
행성 궤도에 머물고 싶어.

모래알은 흔적도 없이

발밑에
서걱거리는 모래알을
한 알 한 알 세어 보았다

출처를 알 수 없고
태생이 불분명한 존재들

살겠다고 살아보겠다고
파도에 밀리고 밀려
겨우겨우 이곳으로 다다를 무렵

한 줌의 먼지처럼
사라지면 그만인
내 육신 또한 치이고 치여
끝끝내 이곳으로

모래 너는 바다에 휩쓸려서
사라지느니 태양에 쪄 죽겠다고

인간 나는
고독에 가려져서
소멸될 바에는 심해에 갇히고 말겠다.

무덤 같은 계절

낙엽이 길 위에 낙화하는 계절에
오랫동안 사랑했던 이들과 헤어졌다

마음이 변심해서 떠난 사람
자연스레 연락이 끊어진 사람
현생에서 영영 볼 수 없는 사람

가을이 왔다 하면 제각기 다른 이유로
반복되는 이별의 아픔을 겪어야 했다

올해도 다시 찾아온 서늘한 공기가
나의 마음을 착 가라앉게 만든다 그러다
다시 떠난 이가 몹시 그리워진다

가을이다 떠난 이가 생각나고
함께 했던 기억이 무덤 같은 계절이다.

불편한

구두 신은 발가락에
계속 무언가 걸리 적 거린다

길을 걷다 잠시 멈춰서 구두를
벗었더니 그 안에 작은 돌멩이

돌이야 빼내면 그만인데
살면서 쉽게 빼낼 수 없는 것이
얼마나 많은가

불편한 관계
불편한 감정
불편한 진실

쉽게 걷어 낼 수 없는 것들
제아무리 힘써도 혼자 해결할 수
없는 것이 세상에는 너무 많다.

벚꽃이 필 무렵

여기 고이 접어 둔
마음 하나 있습니다

차마 말하지 못하고
꽁꽁 숨겨두었던

그댈 향한 나의 애정
어린 눈빛을 더 이상
숨기지 않으려 합니다

그대를 향한 나의 마음은
애달픈 연정입니다

그대를 볼 때 나의 세상은
온통 분홍빛으로 물듭니다

벚꽃이 필 무렵
꼬물거리던 사심이
활짝 꽃으로 피어날 때

꽃다발에 사랑 꽃을 듬뿍 담아
그대에게 고백하려 합니다.

잠식

나 너무 오래 침묵하고 있었나
말해야 할 것을 제때 말하지 않고
들어야 할 것을 제때 듣지를 않아
나 이토록 오랜 방황을 겪고 있었나

고요한 정적을 깨부수고
한 발자국 세상을 향해 내딛는 순간
어둠의 늪에서 벗어나 불안한
영혼으로부터 빠져나오는 그때

나는 비로소 나아가
나를 넘어선다.

우두커니

지는 해, 어둑어둑한 그림자, 조각달
홀로 물끄러미 바라보고 있다

낮은 곳에서 낮은 곳으로
시선이 멈춰 섰다

차가운 아스팔트 바닥에 서서
멍하니 바라보고 있는데 저기

갈 곳을 잃은 길고양이 한 마리
너 역시 나처럼 혼자인 건가
공허한 마음이 발목을 잡고 있다.

이 밤

지나간 옛사랑
함께 했던 추억들과 상처들이
긴 시간 함께 했던 마음이

이제는 씁쓸하고
쓸쓸하게 남아서

문뜩 그리운 당신
생각에 닿지 않을
편지를 쓰고 있어요

누가 알았겠어요 사랑이
이렇게도 허무한 것인지

사랑이 끝났다고 해서
마음마저 쉽게
끊어낼 수 없다는 것을

모래알처럼 흩어지고
멀어진 우리 사이에 더 이상
기대할 것은 없겠지만

우리가 마지막을 인사했던
그날 차마 전하지 못한 말
이 밤에 적어 보내요

당신,
진심으로 고마웠어요.

바다

어떤 이 마음이라 부르고
어떤 이 사람이라 부른다

열 길 물속은 알아도 한 길
사람 속은 알 수 없다 했지

누구나 가슴속에 묻고 사는
심연의 그림자가 있는 법

구태여 설명할 수 없는 지난
거센 폭풍과 한차례의 파도를

누구나 겪었을 터인데 그것을
어찌 단번에 알 수가 있을까

하물며 바다도 진리를 탐구한다네
제 몸을 때리고 쳐가며 일평생을

그렇게 살아간다네 섣불리 알려
하지 말고 함부로 단언치도 말라

그 누가 바다의 깊이를
가늠할 수 있을까

그건 바다만이 알고 있지
바다만이 말할 수 있지.

도시의 밤하늘

지친 하루의 끝에서 올려다본
까만 밤하늘 그 아래 흔들리는
도시의 불빛과 고요한 밤거리

문득 서글퍼지는 마음에 적막한
밤하늘 위로 그리운 사람 별로 띄우고
보고 싶은 사람 달로 떠올린다

도시는 또 하나의 메마른 사막
삼엄한 시멘트 건물 사이로
먹물처럼 피어오르는 달무리

사막 한가운데 갇힌 불안한 젊은 날
바람에 부서지는 별들의 조각을
가슴에 아로새긴다.

들꽃

길을 걷다 보면 어디든 뿌리 잡고
피어 있는 너희가 참으로 기특해

비 포장된 도로 위에도 제각기
활짝 피어난 너희 모습을 보며

이름 없는 꽃이라 여태 불리었지만 어찌
이 세상에 이름 없는 존재가 있을 수 있겠어

이 세상 모든 생명은 저마다
탄생의 고귀함을 갖고 자라난다

모진 비바람과 작열하는 태양을 견디고
아름답게 피어나 우리의 길을 밝혀주는

너의 이름은
우리의 삶이고 우리의 꽃이다.

촛불

그대 마음에 불을 지펴라
가난한 마음 궁색한 마음
이기적인 마음 부끄러운 마음 모두
훨훨 타오르게 모조리 태워 버려라

이윽고 어둠이 찾아오면
그대의 깊은 상념만큼 길어지는 그림자
바닥에 짙게 드리운다

그대 한 손에 촛불 하나 켜고서
눈먼 자 눈을 밝히고
길 잃은 자 길을 밝혀라

때가 되면 주변의 어둠으로부터
벗어나 환한 불빛이 그대 마음속으로
들어와 가장 밝은 빛을 띄울 것이다.

다시 꽃

나의 삶은 징그러워서
꽃을 보는 게 역겨웠어

아름다운 건 나에게 어울리지 않아서
볼품없는 나에겐 과분하게 느껴져서

질기고 질긴 번잡한 잡초가
나에게는 더 어울리는 것 같았어

찔리면 금세 아플 것 같은 장미가 무서웠고
흑백 같은 내 삶에 알록달록 튤립은 불편했어

그런데 나 이제는 꽃이 좋아졌어
한 송이의 곱디고운 꽃처럼 향유하며 살고 싶어

라일락 향처럼 은은하게 풍기면서
보랏빛 같은 인생을 나 이제는 살아보려 해.

전아성

『 감정을 찾아서 』

어렵게 쓰지 못합니다
머리 위가 아닌
가슴 아래의 시선으로
시를 씁니다

감정을 찾는 과정도
마찬가지 입니다.

자연에서 찾다

서로 다른 나무의 가지가
이어져 하나가 된 연리지

다른 뿌리이면서도
그 둘은 닿았다

연인들은 연리지를 찾아와
사랑을 맹세한다

나 또한 맹세한다
내 삶이 가지와 이어질 수 있음을.

수평선

빛을 향해
걷고 또 걷는다

그 끝에 너가 있을까
기대를 품는다

그 작은 빛이
수평선 너머로

또

잠들지라도.

하늘

하루에 한 번
고개 들고 하늘 보기 힘든 요즘

너의 말 한마디가
폭신한 구름 되어

나를 태우고
하늘 높이높이 오른다.

선인장

반기지 않는 날카로운 가시
형태마저 황량한 언덕 같아서
말라버린 사막에 사는 걸까

물은 생각날 때만 조금씩
정을 받지도 않지만
주지도 못하는 모습

그러면서도 화려한 꽃을
가슴 속에 품고 있는 선인장

고독하고 강렬한 너는
꽃말조차 불타는 마음이었다.

파도

구름이 파도쳐
달을 삼켰다

나는 가만히 누워
표정 없이 바라본다

생각해보니

바다가 파도쳐
해를 삼킨 것 같기도 하다

나는 가라앉으며
울고 있었다.

거미줄

발 한번 헛디디면
제 줄에 스스로 걸리는
아슬아슬한 줄타기

새벽의 이슬마저 고이는
삶이라는 줄 위에
안정과 불안이 얽혀있다

여덟의 다리로도 버겁지만
두 다리로 버티는 곡예

우리의 삶.

민들레 홀씨

당신 가만히 손 흔들면
가시는 줄 알고 나는 울었지

당신 가만히 손 흔들면
반가워하시나 나는 웃었지

당신 가만히 손 흔들었을 뿐인데
내 마음대로 생각했지

손짓 한 번에
민들레 홀씨처럼

날아갔지.

장미밭

내 마음
아름드리 감싼 장미밭이야

붉은 잎 보면
사시사철 내 피도 붉어서
영원히 붉게 꽃 필 줄 알았는데

아니었어
장미도 지더라고
바닥에 떨어진 붉은 잎 밟고
떠나더라고

장미 지고 내 마음
가시만 남아
기댈 곳 없더라고.

매미

여름만 되면
시끄럽게 우는 매미
가로수에 붙어있네

갈색 옷 걸어두고
밝은 연두색 몸으로
힘겹게 매달려 있네

나는
우화하는 매미 모습에
우와하고 감탄했지

시끄럽게 울던 게 아니었구나
힘든 시간 이겨 낸 환호성이었구나

나도 이겨내리라 다짐한다

우화하고 우와하게.

달팽이

날카로운 돌멩이 위로
부드러운 배를 깔고
움직이는 너는
열심히 앞으로 나아가는구나

상처가 나고 피가 흐르고
빗물이 다시금 너를 뒤로 밀어도
초록색 나뭇잎 향해
멈추지 않겠지

대견한 마음에
조심히 들어
잎에 올려주니
두 눈을 감췄네.

사물에서 찾다

일을 마친 사물(事物)은
사물(死物)이 된다

사람도 다를 것 없다
내 할 일 끝내면
언제 있었냐는 듯 잊혀진다

펜을 굴리자
사물에서 사물로
유형에서 무형으로

그 속에서 솔직한 내 감정을
찾아 안아보자.

손잡이

버스나 지하철을 타면
손잡이들이 하염없이 흔들린다
안쓰러울 정도로
갈피를 잡지 못한다

나를 잡아줘 나의 길을 알려줘
애쓰는 모습에
다가가 잡아주니
안정감이 생겼다

너도, 나도

흔들리지 않게
잡아줘야 하는
손잡이다.

시멘트

시멘트로 포장된 길 위에
고양이 발자국 하나 찍혀있다

발로 밟고 쿵쿵 뛰어봐도
생채기 하나 나지 않는 시멘트는
고양이의 작은 흔적을 품고 있다

언젠가 단단해지기 전 내 마음에
발자국 남긴 사람 있었다

잊을 수 없는 발자국
괜히 만져본다.

창문

창문 밖에서 들려오는 소리는

추적추적 내리는 가을 소나기
휘잉 불어오는 새벽바람
귀뚤귀뚤 잠 모르는 귀뚜라미 구애 소리

잠자리에 들기 전 마지막 작업은
볼륨을 조절 하듯
창문을 반쯤 닫는다

그렇게 밤은 잠자기 좋은
음악이 된다.

등대

검게 물든 바다 끝
홀로 서 있는 등대

밝은 손을 흔들며
누군가를 기다리고 있다

밤새 자리를 지켜도
바다 위에는 아무도 오지 않는다

괜찮다
자신을 위한 기다림이 아니다.

분실물

잉크가 남은 볼펜
기름이 남은 라이터
여백이 많은 노트

다 쓰지 못하고
나 모르게
사라져 버린 것들

내 꿈에 대한 열정도
그렇게 사라질까
두렵다.

벤치 하나

거창한 이유도
우연한 계기도
알량한 자존심도

우리가 대화하기 위해
필요한 것이 아니야

그저
마주 앉을 벤치
하나면 돼.

성냥

삶의 불은
언제나 켤 수 있는 게 아냐

어떤 이들은 라이터를 켜듯이
쉽게 불을 키려 하지

하지만 삶은 성냥 같은 거야
유한한 거지

한 번 불을 지필 때마다
최선을 다해야 해.

모래시계

너를 잊는다는 건
책상에 턱을 괴고 가만히
모래시계를 바라보는 것

모래가 다 떨어져
일어나려 할 때쯤

불쑥 너의 손이 나와
"아직 아니야"라고 말하며
모래시계를 뒤집는 것

그리고 반복.

물감

마음이란 팔레트에
감정을 찍어 덜어낸다

어제의 행복은 분홍이었는데
오늘의 행복은 파랑이다

날마다 바뀌는 색깔이 신비롭다
화가는 아니지만, 감정을 섞어본다

쓱쓱 섞어 잉크로 만들고
마음을 쓴다

어제는 웃었고
오늘은 울었다
괜찮다 감정이란 그런 거니까.

우주에서 찾다

우주는 광활해서
눈으로는 찾을 수 없다

눈을 감고
마음으로 찾아본다

검은 옷을 입은
당신을 찾았다

놀라지 않으셔도 된다
마음으로 찾은 거다

보이는 것은 눈에 남고
보이지 않는 것은 가슴에 남는다

그래서 우주에는
가슴 두근거릴 일이 참 많다.

별똥별

저기 날아가는 별똥별은
얼마나 많은 사람의 소원을
등에 메고 있을까

너무 무거워서
떨어지지 않기를 빌어본다

모두의 소원이
별똥별과 함께
은하수를 건너가길 바라본다.

마지막 위성

모두가 당신을 떠날 때
나는 곁에 있을게

항상 너를 바라보고
손 내밀면 닿을 수 있게
주위를 맴돌고 있을게

멀어지는 관계와
사라지는 많은 꿈

끌어당길 힘을 잃어
어둠 속에 점이 된

너의
마지막 위성이 될게.

태양

눈앞에
저리 크게 존재하는데
다가가지 못하는 건

내가 겁쟁이여서가 아니고
만날 방법이 없어서도 아니야

단지 우리 마음의 거리가
저 태양만큼 멀기 때문이야.

오로라

우주의 아픈 상처
다 받아내고
빛나는 오로라

춤을 추듯
흩날리는 아픔과

악수를 하고
왈츠를 추는구나

나도 내게 오는 상처들과
손을 마주 잡고 춤을 추면

밝게 빛나는 오로라 되겠지.

우주보다 까만 밤

밤을 새워
널 기다렸지만
대답 없이 별만 반짝이니
이제는 밤이 힘들어 누웠네

낮을 뉘어
널 잊어봤지만
시간 지나 노을 물들이니
이제는 낮이 힘들어 떠났네

우주보다 까만 밤이 오면
그리움은 까만 밤보다

더 짙어지네.

월 작렬

아름답디아름다운
입술 삼킨 달이여
나 그곳에 산 줄 알았는데
내 자리 아니라 하오

달빛 하나 새어 흐를까
두 손 뻗어 안았는데
그믐달 죄다 못해
사라져 버리네

작렬하는 달아
그 사람 잊을 수 있게
깨지고 부서져
외로운 별들의
한 모금 이슬 되어라.

우주비행사

미지의 우주
그곳에서 마주한 건

낯선 생명과의 조우,
차가운 어둠이 아닌

몸이 떠다니는
날 것 그대로의 두려움과

떠나온 지구를 뒤돌아봤을 때
형용할 수 없는 감정들일 것이다

허우적대고 싶다
무방비 상태로 지구를 보고 싶다.

당신 행성

당신이란 행성에
한 그루 나무 될까

아냐 너무 벅차요

당신이란 행성에
주위를 도는 위성 될까

아냐 너무 가까워요

당신이란 행성
하나 품은 우주 할게요

그것만으로 내 가슴
가득 찰 테니까요.

인공위성

인공위성을 쐈다
강인한 기세로 날아올랐지만
궤도에 오르지 못하고
떨어졌다

뉴스에는 많은 과학자와 사람들이
하나 같이 말했다

값진 시도였다고
기술이 많이 발전했다고
목표에 가까워지고 있다고

그러니

시도하라
실패가 아니다
후에 있을 성공의 발자취다.

너에게서 찾다

혼자였으면
느끼지 못하는 감정들이 있다

너와 함께하며
감정들이 하나하나 만져질 듯
뭉쳐지고 모양을 내기 시작한다

가끔은 나도 모르는 내 마음을
너에게서 찾을 때가 있다

그럼 너는 아름답게 빚은
감정들을
내게 선물한다.

당신의 목소리

당신의 목소리가 선이 되어
작게 빛나는 별들을 잇고
내 마음에 별자리를 만듭니다

헤매지 않도록
나를 불러주는 당신의 음성이
길이 되어 줍니다

난 깨달았습니다
진심어린 목소리는
사라지지 않고 길이 된다는 것을.

그려지다

내 못난 옆모습
미소 머금고서
그려주던 당신

나 또한 예쁜 당신 얼굴
작은 종이에 담고 싶었지만
재주 없어 그만뒀지

못난 내가 당신 떠나보내고
우연히 다시 본 그림
여전히 재주는 없것만

내 마음속 당신 옆모습
선명히 선명히
그려지네.

구애

개구리는 개굴개굴 울고
귀뚜라미는 귀뚤귀뚤 울며

제 짝을 찾네

나도 당신 이름 부르면
내게 올까

조그맣게 울어본다.

습관

어질러진 방을 봐도
치우지 않았다

옷을 아무렇게나 벗어
빨래통에 던진다

하루에 한 번도
환기를 시키지 않는다

그런 못된 습관이 있었다

마법처럼
방은 정돈되어 있고
빨래는 건조대에 매달려 있고
언제나 상쾌한 공기가 나를 맞이했으니까

어머니,

당신의 습관은 사랑이었나 봅니다.

사연 있는 사람들

쏟아지는 빗속에서
접힌 우산을 손에 쥔 채
비를 맞고 있는 사람

술에 취해
비틀거리며
이별 노래를 부르는 사람

아무런 약속이 없는 밤
집을 나와 오도카니 서 있는 나
그들에게 관심이 생긴다

사연이 있지 않을까
넋이 나간 하루
넋을 채우고 싶다.

애매한 외로움

당신은 일과 사람에 지쳐
아무런 약속을 잡지 않아

휴식이 필요 한 걸까 싶었지만
쉬는 날 오후 늦은 시간에 일어났고

멍하니 방 한구석을 보다가
밖으로 나섰지

공원을 걸어, 사람들을 보고,
밤에 핀 꽃을 카메라에 담지

어쩌면 당신은
혼자 있는 게 싫었나 봐

애매한 외로움
나도 같아.

모래성

모래성을 쌓고 깃발을 꽂았다
당신과 나는
한 움큼씩 모래를 가져왔지

나는 이기고 싶어서
조금씩 모래양을 늘려갔지

위태위태 흔들리던 깃발은
내 차례에서 쓰러졌지

나는 분했는데
너는 기뻐하지 않고
울면서 떠나갔지

그때 생각난 거야
우리가 하던 건
이기고 지는 게임이 아니라

욕심이라는 모래 위에
함께 꽂았던
사랑이라는 것을 말이야.

당신의 발자국

당신은 왜 나를 떠나려 하나

굳이 이유를 묻지 않았습니다

수화기 너머 당신의 눈물에

내 목이 울렁거려서 참았습니다

대답 없이 당신을 놓아준 건 나인데

미련하게 당신의 발자국을 찾습니다

하지만 아무리 찾아도

보이지 않는 걸 보니

고운 모래 위의 발자국인가 봅니다

바람 한 번에

날아가 버렸나 봅니다.

빛나는 열매를 가진 나무

벌써 거리에서는
캐럴이 들려
눈이 오려나 봐

보고 싶은 너도
다시 오려나 봐

집안 한쪽 구석에
나무를 들이고
빛나는 열매를 걸어

내가 만든 나무가
어두운 방을 밝히면
환하게 웃는 너의 미소가

서서히
보이는 듯해.

양승호

『 불완전 』

우리는 살아있습니다
광활한 우주에 운명처럼 사는 작은 존재들인데
죽어야 할 이유가 없습니다
죽지 말고 더 살아가요
그냥 작은 위로 받고 더 살아가요
슬픈 날도 있고
웃는 날도 있고
앞으로만 계속 가요
자연의 순리 그대로 그냥 가요.

이 시들로 위로가 될 수 있다면 좋겠어요.

고독 공포증

고독.

무제

오늘은 아무 일도 일어나지 않을 것 같다

왠지 공허하고 편안한 느낌인 것 같다

어제는 하늘을 보며 생각에 잠겼었다,

오늘은 아무 일도 일어나지 않을 것 같았다.

아름답다

어느 한 분이 그러셨다,

아프고 불완전한 구석이 있어도
결국은 아름다운 한 사람이라고

불완전한 삶 속에
여전히 살고 있다

우린 죽지만
우린 여기 살아있었다

행복했다.

친구

"야 가위바위보 해서 진 사람이 죽기 하자"
한 명이 이겼다

진 한 명은 죽었다, 그다음 이긴 한 명도 죽었다

결국은 둘 다 죽고 말았다.

흑백

흑백으로 세상을 바라본 것 같다

잔잔하게 흐르는 물들도
조용히 춤추는 나무들도
그 자리 떨고 있던 노을빛도

손이 닿지 않던 색들을 잡으려,

그러지 말라며,
위로하던 노을을 바라보며

눈을 감고 세상을 바라보는
불완전한 나를 바라보는 너를 보며

흑백으로 세상을 보고 있었다.

가야 할 길

누가 나의 길을 만들고
누가 나의 길을 정했는가?

나는 길을 만들지도 정하지도 않은
자유로이 나르는 새인데
너는 그 새가 되어 보았는가?

남들이 바라보는 비옥한 꽃길
난 고개 돌려 황폐한 절벽 그곳으로
날으고 또 날라 한 송이의 이쁜 꽃을

날개 그것은 너에게 있다
자유로이 날아올라라

깊은 날

추운 밤이 깊은 날
우울감에 잡혀 도망가지 못하는 나를 보았다

놔달라고 소리쳐도
도망가지 못하는 나는 성인인가,
아니면 그랬던 것인가

깊게 잠에 빠져
그때의 좋은 기억들에 깊게 빠져
깊은 바다를 헤엄치고 싶다

여전히 나는 옛날 그 나다.

바다는 늘

역시나 그랬다

하염없이 철푸덕 철푸덕
우는 소리는

아무리 소리쳐도 드넓은 푸르른 곳엔
다시 돌아오는 건 공허함 뿐이었다

언제나 끼루룩 끼루룩
앞에 자유로운 소리들이었다

광활한 지평선 넘어
그대로 있는 바다는 늘...

바람

바람과 같다

빠르게 지나가지만
다시 돌아오고

저 멀리 날아갈 적에도
결국 돌아오는 건 나에게였다

다음에 다가올 바람을 대비하여
나는 이윽고 저 먼 곳을 바라보았다.

결국

비로소 나는 비로소라 해도
결국엔 답을 얻지 못했다

먼 길을 돌았다
여전히 눈앞에 보이는 한 편의 꿈이

보였다 여전히
결국 똑같은 꿈을 꾸는 나를 보았다.

걸음 속 시간

시간 속을 걸었다

걸었던 시간 속
도망치고 있던 나의 모습

언제나 깨진 거울,
걸었던 시간 속

발걸음이 멈춘 그곳은
비친 나의 모습이 아니라
웃고 있던 나

걸었다 시간 속을.

그리움

빛이 눈부시던 시절 그 순간, 나는 잊지 못한다

한낮 푸르던 시절 그 순간, 나는 잊지 못한다

푸를 것만 같던 풀잎은 어느새, 나는 잊지 못한다

높디높은 곳에서 푸르던 나는, 나는 잊지 못한다

어느덧 말라서 땅으로 내려온 순간,
나는 잊지 못하여 나는 잊지 못한다.

혼자

조용한 바람이 부는 날엔
혼자 있던 나를 보았다

비가 쏟아지는 날엔
축 처진 나를 보았다

홀로 남아 하늘을 보다,
홀로 남아 생각을 했다,

여물어 질 수 없는 마음이
오늘도 여전히 쓰라리다.

야생화

손이 닿지 않는 거리

밤하늘에 별과 같이
혼자 빛나는 야생화 한 송이

비가 내려올 적엔
가파른 절벽 사이같이 눈물 흘리는

바람이 불어올 적엔
위태하게 매달려 버티는

더 가파른 절벽을 올려다보니
각기 모두 새로운 야생화 한 송이

손이 닿지 않는 거리
가장 빛나는 야생화 한 송이

풍선

우리의 어린 시절 풍선이 있었다,

조금만 힘을 줘도 펑! 하고 터지는 풍선이다
그게 다다.

여전히

이랬던가 밤은
여전히 차갑고 어둡게

수많은 밤들을 지새운 채로
또다시 밤을 맞이하는

그 밤은 추웠다,

하지만 나는 곧 알아차렸다,

이랬던가 햇살은
여전히 나를 웃음 짓게

갈증

손에 닿을 듯,
저기 저 멀리 있는

좀만 더 가면 닿을 것만 같은데
좀만 더 좀만 더

나의 갈증은 죽도록 지속됐다

온몸에 털이 위로 솟구쳤다

갈증이 있던 것일까?

한숨을 크게 들이 내쉬며,
갈증은 지속되었다.

비

따뜻한 태양 빛을 숨기고
하늘이 백색이 되어 울 때

드넓은 하늘 위에 기댈 곳 없이
한번 흘린 빗방울이 또다시 내릴 때

그대를 위로해 준 건 비뿐이었다

그래도 좋다
대신 소나기로 내리고
따뜻한 태양 빛으로 돌아와라.

클래식

우리 앞에는 죽음이 있다

무엇이 그리워서, 그랬는지
크게 한 바퀴 돌았다

울고 웃고 하던 삶은 어느덧 지나,
끝엔 무엇이 남고, 존재할까
그런 것은 있던 것일까?

오늘도 나는 방황하며,
곧 다가올 무언가를 따라
흐르고 있다

자연 그대로.

추억

떠올릴 때,

웃었을 때,

행복했을 때,

너를 사랑하고 있을 때.

슬픔, 간접체험

너의 수많은 고통의 시간을
짧지만 가장 길게 느낀 시간이 있었다

넌 눈물을 쏟아내며, 서럽게 울었지
마음이 얼마나 찢어져 있으며,
그 눈물을 누가 다 헤아려주리

너무 힘들 때,
다 버리고 그냥
그냥 다 잊고,
푸르른 산, 푸르른 물로 떠나

괜찮아. 행복 하자.

담벼락 앞 이름 모르는 꽃

집 앞을 지나다
아름다운 흰 꽃을 보았다

담벼락 사이에서 빛이 나듯
세상에서 가장 이쁜 꽃으로 보였다

첫째 날,

둘째 날,

셋째 날,

여전히 그 자리를 지키고 있는 흰 꽃
세상에서 제일 아름다운 꽃이었다

순수하고 고운 흰 꽃
그게 바로 너였다.

별 곁듯

여전히 따뜻한 밤하늘엔
나를 감싸는 듯 수많은 빛이 있다

빛들을 피해간 내 마음은
따뜻한 밤하늘에 온 비수 같은 소나기 같았다

소나기가 그칠 때쯤 구름 걷힌 하늘을 보니
쌀쌀해진 마음을 많은 별 들이 위로하듯

시린 마음에 새벽공기를 부르고
텅 빈 마음에 별을 곁들였다

여전히 허전한 내 마음엔 별 곁듯
어둠 속 가득히 빛이 났다.

홀로

떠나는 그 날에 바람이
나에게 외로움으로 다가와

잊지 못할 그 햇살들은
이제 닿지도 못할 거리에

여기가 어딘지 모를 적에
그땐 홀로, 또 여전히 홀로.

행복은

안개가 많이 낀 날
하늘이 이뻐 사진을 찍었다

백색 그것은 백색이었다

누구에게는 기분이 안 좋은 날
나에게는 천국을 온 것 같았다

어느 사람은 나를 보며 비웃고
또 어느 사람은 나를 깔아보았다

이쁜 하늘 그것은 푸르러야만 이쁜가,

다 필요 없고 난 백색 하늘이 좋다
한 장의 사진으로 나는 느낀다.

어제

지나버린 시간이여
꼭 행복했길 바란다

지나버린 추억들이여
꼭 행복했길 바란다

지나버린 또 지나버린 어제여
어제는 지금의 그 순간이길

행복했었던 어제여

다시 돌아올 수 없다고 하지만
지금 눈앞에 있는 것들이여

비 냄새

어느 새벽 비 내리는 밤
창문을 열어보니 훅 들어오는 냄새

차가운 냄새
달콤하기도 한 냄새
여러 냄새

슬피 우는 냄새
웃음 가득 찬 냄새
여러 냄새, 또한 우리의 삶.

절규

아무리 소리쳐도 아무리
내 목소리는 밖에 들리지 않았다

너무 답답한 나머지
탈출구를 찾고 있었다

돌고 돌다
곧, 알아차렸다

난 네모 상자 안에 있었다.

점

우주는 너무 넓다

우리 인간은, 인간은
무엇일까?

아름다운 우주 안에
끝도 없는 작고도, 작고도,
작고도 작은 인간은

우리는 무엇이고,
무엇을 향해 가는 것일까?

죽음 뒤엔 무엇이 있나,

오늘도, 내일도.

하루

언제나 그러하듯,
해가 떠오른다

언제나 그러하듯,
오늘도 죽음에 한걸음 가는 듯,
잊혀 가는 것 같았다

하루, 하루, 하루, 또 하루,
하루가 더 지나면 우린 남아있질 않겠지

웃고 울던 하루
웃고 울던 하루

언제나 그러하듯,
하루가 오늘도 이렇게 지나는구나,

오늘은 참 잔잔한 날이었다.

백색

해가 지고 흰 구름이 드리운다

세상은 온통 순결해지고 단순해져
나의 어릴 적 순수함을 일깨워줬다

어릴 적 깨끗하던 나의 마음은
온통 희게 변해 아무것도 없어졌다

그걸 깨달은 순간,

나는 너무도 고독하고 공허의 감정이 극치에 솟아
모든 것은 튕겨내며 비와 바람이 불기만 하여

붉은 노을이 지는 그대로 빨갛게 물들어 갔다.

소나기처럼

우산을 안 챙겨왔는데
꼭 내리는 소나기가

오는 줄도 몰랐지만
내 옆에 이미 와버린 소나기가

나의 마음을 툭툭 건들며
아픈 비를 내리던 소나기가

꼭 그칠 때 가장 밝게 빛나더라
소나기는 금방 그치더라

너도 가장 밝게 빛나줘라
소나기처럼 너처럼

향초

누가 불씨를 붙였다

나는 타들어 가며
느리고 빠르게 점점 작아지고 있었다

바람이 부는 날도 있었고,
비바람이 내리는 날도 있었다

나는 잠깐 빛나고만 있는 건가? 라는
고민에 빠질 때,

나는 다 녹아 없어져 버렸다.

비 때문에

발까지 다 젖어 버리기까지
젖고 또 젖었다

비 때문에 감정이 마르지 않아
젖고 또 젖었다

비라는 핑계를 대며
때문에라는 핑계를 대며

나는 오늘도 울고 또 울었다.

가면

항상 웃고만 있었던 내가
등 돌려 한 번씩 울곤 했다

마음은 찢어지고 눈물짓고 있는데
단지, 위로받고 싶어서 웃고 있었던가

이제는 그 웃음도 무슨 의미인지 모르겠다

진짜 모습은, 진짜는
가면 하나만 벗으면 쉽게 드러나는데
그 가면을 못 벗어

가면 속으로 쉽게 울곤 했다
그 앞엔 미소 지으며, 여전히.

낭만 지옥

노을 지던 하루는 지나가고
곧 밤이 찾아온다

눈을 감고 낭만 가득 따듯한 햇살을 맞으며
긴 시간을 보내려 했지만

당연하게 오는 어둠은 막을 수 없었다

눈을 뜨고 새로운 햇살을 맞을 때면
또 다른 시간은 낭만 가득한 시간이었다

하지만 다시 또 당연한 어둠은 막을 수 없었다

노을 지던 하루는 지나가고
곧 밤이 찾아온다.

우울

깊게 더 깊게 더, 더
아무런 소리가 들리지 않았다

숨은 턱 막히고
눈빛은 다 죽어

앞은 검은색으로 가득 차버린다

그러곤 아쉬움이 도져
빨간색 하나 검은색 하나

빨간색과 검은색을 가득 섞어
검붉은색을 만들었다

나의 지어버린 노을에 칠했다.

행복 하자

그냥
그저 그렇게 행복 하자
아픈 날도 슬픈 날도 있지만

그냥
그저 그렇게 행복 하자
수많은 시련도 오곤 하지만

그냥
그저 그렇게 행복 하자

우린 그냥 행복하게
살다 가면 되는 거니깐

그저 그렇게 행복 하자
그냥

봄, 여름, 가을, 겨울

정말 깨끗하고 푸르른 새싹같이
꽃처럼 너무 이쁜 표정을 하고서
해맑게 뛰놀던 한 아이가 있었다

뜨겁던 태양같이 꼭 내리던 장마같이
푸른 잎사귀들을 가지고 산들바람을 맞던
어여쁜 한 젊은이가 있었다

푸른 잎사귀들은 저물 은 채
곧 떨어질 듯 빨간색, 노란색 하나씩
곱게 늙어가는 한 중년이 있었다

오지 않을 것만 같던 겨울이 오고야 말았다
새하얀 눈들이 수북이 쌓이고 세상은 희게
희게 백발 진 한 노인이 있었다

그리고,
그 앞엔 차갑던 눈들이 조금씩 녹고 있었다.

12월의 어느 날

곧 함박눈이 내릴 거 같다.

우리의 계절은 이렇게 지나갑니다

2021년 12월 27일 초판 1쇄 발행
2021년 12월 27일 초판 1쇄 인쇄

지은이　　|　정혜윤, 이효진, 전아성, 양승호

책임편집　|　송세아
편집　　　|　안소라, 이향
제작　　　|　theambitious factory
인쇄　　　|　아레스트

펴낸이　　|　이장우
펴낸곳　　|　꿈공장 플러스
출판등록　|　제 406-2017-000160호
주소　　　|　서울시 성북구 보국문로 16가길 43-20 꿈공장1층
전화　　　|　010-4894-9079
팩스　　　|　031-624-4527
이메일　　|　ceo@dreambooks.kr
홈페이지　|　www.dreambooks.kr
인스타그램 |　@dreambooks.ceo

© 정혜윤, 이효진, 전아성, 양승호　2021

ISBN　|979-11-92134-03-1

정 가　|12,500원